KT-568-491

- HERGÉ -

ANTURIAETHAU TINTIN

BRAINT Y BRENIN OTTOKAR

ADDASIAD
DAFYDD JONES

ACC. No: 05133609

DALEN
dalenllyfrau.com

Braint y Brenin Ottokar yw un o nifer o lyfrau straeon stribed gorau'r byd sy'n cael eu cyhoeddi gan Dalen yn Gymraeg ar gyfer darllenwyr o bob oed. I gael gwybod mwy am ein llyfrau, cliciwch ar ein gwefan *dalenllyfrau.com*

Tintin o gwmpas y Byd

Affricaneg Protea Book House
Almaeneg Carlsen Verlag
Armeneg Éditions Sigest
Asameg Chhaya Prakashani
Bengaleg Ananda Publishers
Catalaneg Juventud
Cernyweg Dalen Kernow
Corëeg Sol Publishing
Creoleg Caraïbeeditions
Creoleg (Réunion) Epsilon Éditions
Croateg Algoritam
Cymraeg Dalen (Llyfrau)
Daneg Cobolt
Eidaleg RCS Libri
Estoneg Tänapäev
Ffinneg Otava
Ffrangeg Casterman
Gaeleg Dalen Alba
Groeg Mamouthcomix
Gwyddeleg Dalen Éireann
Hindi Om Books
Hwngareg Egmont Hungary
Indoneseg PT Gramedia Pustaka Utama
Isalmaeneg Casterman

Islandeg Forlagið
Latfieg Zvaigzne ABC
Lithwaneg Alma Littera
Llydaweg Casterman
Norwyeg Egmont Serieforlaget
Portiwgaleg Edições ASA
Portiwgaleg (Brasil) Companhia das Letras
Pwyleg Egmont Polska
Rwmaneg Editura M.M. Europe
Rwsieg Atticus Publishers
Saesneg Egmont UK
Saesneg (UDA) Little, Brown & Co (Hachette Books)
Sbaeneg Juventud
Serbeg Darkwood D.O.O.
Sgoteg Dalen Scot
Siapanaeg Fukuinkan Shoten Publishers
Slofeneg Učila International
Swedeg Bonnier Carlsen
Thai Nation Egmont Edutainment
Tsieceg Albatros
Tsieinëeg (Cymhleth) (Hong Kong a Taiwan) Sharp Point Press
Tsieinëeg (Syml) China Children's Press & Publication Group
Twrceg Alfa Basım Yayım Dağıtım
Cyhoeddir Tintin hefyd mewn nifer o dafodieithoedd

Le Sceptre d'Ottokar
Hawlfraint © Casterman 1947
Hawlfraint © y testun Cymraeg gan Dalen (Llyfrau) Cyf 2019

Cedwir pob hawl. Mae'r cyhoeddiad hwn yn cynnwys deunydd a warchodir gan ddeddfau a chytundebau hawlfraint rhyngwladol a gwladol. Gwaherddir unrhyw adargraffu neu ddefnydd o'r deunydd hwn heb ganiatâd. Ni chaniateir atgynhyrchu unrhyw ran o'r cyhoeddiad hwn mewn unrhyw ffurf na thrwy gyfrwng electronig na mecanyddol, gan gynnwys llungopïo, recordio, neu drwy unrhyw systemau cadw a darllen gwybodaeth, heb ganiatâd ysgrifenedig penodol.

Cyhoeddwyd yn unol â chytundeb ag Éditions Casterman
Cyhoeddwyd yn gyntaf yn 2019 gan Dalen (Llyfrau) Cyf, Glandŵr, Tresaith, Ceredigion SA43 2JH
Mae Dalen yn cydnabod cefnogaeth ariannol Cyngor Llyfrau Cymru
Llythrennu gan Lannig Treseizh
ISBN 978-1-906587-72-7

Argraffwyd yn yr Alban gan Bell & Bain

BRAINT Y BRENIN OTTOKAR

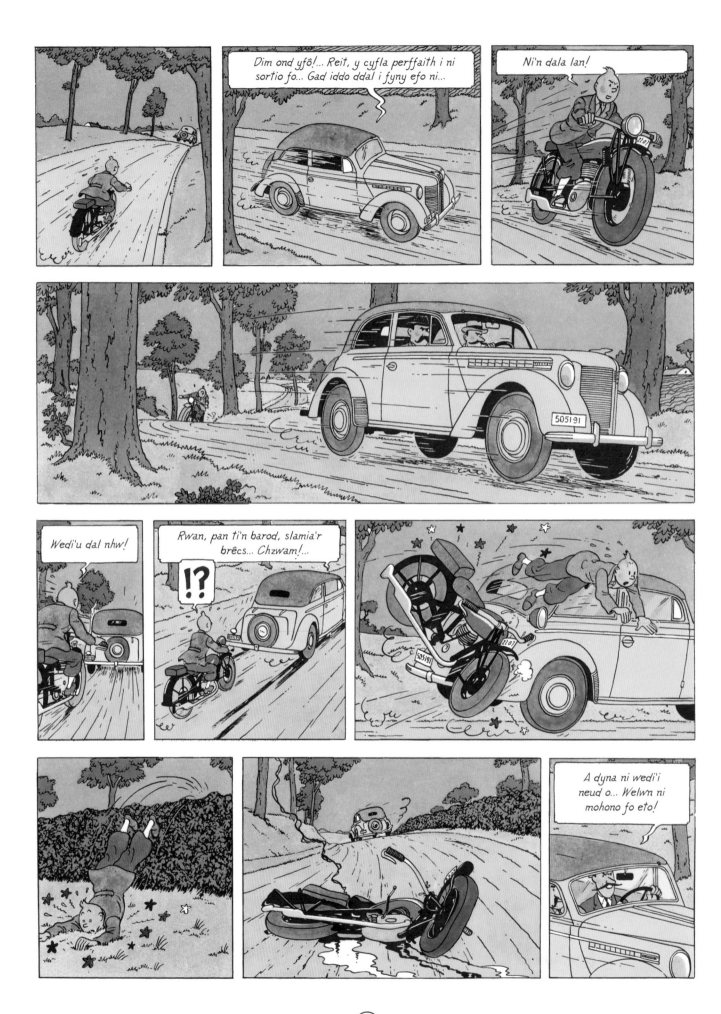

SYLDAFIA

PELIKAN YN GYNGAN A GAR
FOD O'I WAED FWYD I'W ADAR

Ymhlith holl diroedd hynod y byd, rhai sy'n chwedlonol am eu prydferthwch, eu lliw a'u diwylliant gwerin, mae un wlad fechan yn rhagori. Am ganrifoedd maith, roedd Syldafia yn fangre oherwydd ei lleoliad anghysbell rhwng dyffrynnoedd anghyfannedd dwyrain Ewrop ond, ers ei hagor i reilffyrdd diwedd y 19eg ganrif a chysylltiadau awyrennau'r 20fed, daeth ei harddwch chwedlonol yn hysbys i'r byd. Ac er cynnydd ar bob cwr â'r byd modern ar droed, ildiodd Syldafia ddim o'i thraddodiadau hynafol, na'i lletygarwch disglair, na'i hyfrydwch hynod rhwng bro a breuddwyd.

Er ei bod yn wlad gymharol fach yn ddaearyddol (â phoblogaeth o tua 642,000), trwy brif ddyffrynnoedd Syldafia y mae afonydd y Wladir Fach a'r Moltus yn llifo'n frwd, cyn cyfarfod â'i gilydd yn y brifddinas Klow (poblogaeth 122,000). Oddi yno, mae'r Wladir Fawr yn llifo ymlaen trwy wastatiroedd a meysydd coediog, ac yn cylchdroi wrth draed y mynyddoedd caregog sy'n codi'n gopaon gwyn dan eira.

Mae meysydd lloriau'r dyffrynnoedd yn wyrddlas a ffrwythlon, yn borfeydd cnydau grawn i fwydo'r boblogaeth a maethu da byw. Islaw'r porfeydd, mae priddoedd Syldafia yn gyfoethog o fwynau a mineralau, ac ar hyd y wlad mae ffynhonnau cynnes sylffwr brwmstan yn ffrydio; mae canolfannau'r ffynhonnau wedi'u lleoli'n bennaf o gwmpas Klow (clefydau'r galon) a Kridkhumalai (gwynegon). Ymhlith prif allforion y wlad y mae gwenith, dŵr ffynnon o Klow, coed tân, ceffylau a chrythorion.

HANES SYLDAFIA

Cyn y 6ed ganrif, dim ond llwythi crwydrol oedd yn trigo ar hyd dyffrynnoedd Syldafia, ond yn ystod y ganrif honno poblogwyd ei thiroedd gan Slafiaid dwyrain Ewrop. Yn y 10fed ganrif, daeth gormeswyr o bellteroedd Twrci i feddiannu'r gwastatiroedd ffrwythlon, gan yrru'r Slafiaid i'r mynyddoedd.

Yn y flwyddyn 1127, rhuthrodd un o lwythi'r Slafiaid o'r mynyddoedd dan arweinyddiaeth Hveghi, gan ymosod ar gymunedau ar lawr dyffryn a thywallt gwaed yn wyneb unrhyw wrthwynebiad. Wedi'r gyflafan a chyn pen y rhawg, daeth arglwyddiaeth rhan helaeth o'r wlad i ddwylaw Hveghi.

Prif ganolfan Twrceg y wlad ar yr adeg yma oedd Guenustradt, yn nyffryn yr afon Moltus, ac yno darfu'r gwrthdaro mawr cyntaf rhwng milwyr arfog Twrci a gwŷr ymladdgar llwyth Hveghi. Wedi elwch y blynyddoedd ac heb gadweinyddion craff, roedd diffyg parodrwydd milwyr Twrci ar gyfer bygythiad ffyrnig Hveghi yn amlwg.

Hveghi oedd congrinero'r dyffrynnoedd gwyrdd, ac fe'i etholwyd gan ei gyd-wladwyr yn frenin ar Syldafia. Wrth ei ethol, fe'i coronwyd ef gyda'r enw Muskar – "muskh" (y gwron) a "'kzar" (brenin). Gyda hynny, ordeiniwyd Guenustradt yn brifddinas i'r wlad a'i hail-enwi yn Klow – "kloho" (rhyddfraint) a'r olddodiad "gwy".

Aelod o'r Gwarchodlu Brenhinol,
Castell Kropjan, Klow

*Pysgotwr o barthau Dubrnouk
ar arfordir y de*

*Tref Niedzdrow,
yn nyffryn y Wladir Fach*

*Gwerinwraig yn cerdded
i farchnad Elijnmoij
yn nyffryn Moltus*

CYFLAFAN GUENUSTRADT
"Eilywed Uenustradt fawr vygedawc"
Darlun yn seiliedig ar frodwaith o'r 15fed ganrif

Muskar XII, brenin Syldafia heddiw, wedi'i wisgo yn lifrai'r Gwndrydd (tardd. "goun de rey")

Brenin doeth oedd Muskar a deyrnasodd mewn heddwch gyda'i gymdogion. Ar ei farwolaeth yn y flwyddyn 1168, wedi deugain mlynedd ffyniannus i'r wlad, galarganodd Syldafia gyfan. Fe'i holynwyd yn frenin gan ei fab hynaf, a goronwyd yn Muskar II, ond nid oedd hwn yn meddu ar yr un awdurdod â'i dad. Gyda hynny, gwelwyd dadfeiliad yn nhrefn y deyrnas, a disodlwyd llewyrch heddychlon y blynyddoedd blaenorol gan gyfnod o anhrefn a chythrwfwl.

Rhannai Syldafia ffin â gwlad Bordwria, ac roedd dirywiad un yn amlwg i boblogaeth y llall – deallodd frenin Bordwria wendid trefn Syldafia, a manteisiodd ar y cyfle i oresgyn ei gymydog. Wedi chwalfa waedlyd brodorion y wlad, rhan-feddiannwyd Syldafia gan Bordwria yn y flwyddyn 1195, a bu'n ddarostyngedig i'r teyrn estron am ddegawdau maith wedi hynny – adleisir cof a braw cyflafan yr hen Uenustradt ddiwedd y 12fed ganrif ym mydr ac odl rhannau o'r gerdd hir "Oianau'r Gwndrydd" o'r 14fed ganrif, ac yng ngalargan y Magyar "A Walesi Bárdok" a ysgrifennwyd yn y 19eg ganrif.

Ym 1275, efelychodd y pendefig Szyldjan fuddugoliaeth Hveghi ganrif a hanner ynghynt, gan arwain minteioedd i lawr o'r mynyddoedd ac ymosod ar drefedigaethau gwŷr Bordwria. O fewn ychydig fisoedd, roedd y trefedigaethwyr gormesol eto wedi'u trechu a'u hymlid o'r tir. Coronwyd Szyldjan yn frenin yn y flwyddyn 1277 gyda'r enw Ottokar, ond â llai o rymoedd nag a fu gan ei ragflaenydd Muskar. Mynnodd y bendefigaeth fu'n gefnogol i'w ymgyrch y brenin i fod yn sefydlu siarter yn seiliedig ar elfennau trosglwyddiadau tir breinlen enwog y Liber Landavensis ganrif a hanner ynghynt, a hyn a welodd gychwyn ar y drefn ffiwdal yn Syldafia.

Saif Ottokar I yn amlwg yn Syldafia uwchlaw llinach Přemysl a'r brenhinoedd Ottakar yn Bohemia ar ddiwedd y 12fed ganrif – er fod haneswyr yn aml yn drysu rhyngddynt.

Mae'r cyfnod yn dilyn coroni Ottokar I yn nodedig am y cynnydd a welwyd yng ngrym y pendefigion, wrth iddynt atgyfnerthu eu mangreoedd a chynnal minteioedd arfog yn fygythiad uniongyrchol i'r lluoedd brenhinol.

Ond gwir sylfaenydd a sefydlogydd teyrnas Syldafia oedd Ottokar IV, neu Ottokar Fawr, a goronwyd yn frenin yn y flwyddyn 1370. Bwriodd ati'n syth wedi ei arwisgiad i ddiwygio trefn y deyrnas. Cododd llu arfog cryf o'i blaid i ddofi'r bendefigaeth anystywallt, a throsglwyddwyd cyfoeth y bendefigaeth i'r trysorlys brenhinol. Roedd Ottokar IV yn noddwr llên a dysg, yn ogystal â bod yn hyrwyddwr craff ar ddiwylliant amaethyddol a masnach ei wlad.

Ef yn anad neb oedd yn gyfrifol am uno'r genedl ac am roi iddi sefydlogrwydd oddi mewn a'r tu hwnt i'w ffiniau, gan sicrhau ffyniant o'r newydd. Ac o'i enau ef y llefarwyd y geiriau enwog "Eih bennek, eih blávek" a ddaeth yn arwyddair i'r Syldafia fodern. Cofnodir tarddiad yr arwyddair yn y llawysgrifau.

Roedd y pendefig Rehlenvitsch yn cynrychiolydd o'r bendefigaeth a amddifadwyd o'i breiniau gan Ottokar IV, a mynnodd wrandawiad gan y brenin. Yng ngŵydd gwyrda'r llys, datgeiniodd Rehlenvitsch ymffrost ymhonnus a thrahaus, gan fynnu ei hawl ef ei hun i'r goron. Derbyniodd ymffrost Rehlenvitsch wrandawiad teg gan y brenin, nes i'r pendefig alw ar Ottokar i ildio'r deyrnwialen. Gyda hynny, codi a wnaeth y brenin â bonllef: "Cei gymeryd oddi wrthyf beth bynnag sydd yn dy anfodloni!"

Gan ddadweinio'i gledd, rhuthrodd Rehlenvitsch ar y brenin, ond camodd y teyrn i'r nail ochr i'w osgoi. Yna, gan chwifio'r deyrnwialen, trawodd Ottokar y pendefig â hi gyda'r fath rym nes i Rehlenvitsch syrthio'n ddiymadferth ar lawr y llys. Ac wrth daro'r herfeiddiwr, llefarodd Ottokar yn yr iaith Syldafeg i'w lys yn syfrdan, "Eih bennek, eih blávek" – sef, o'i gyfieithu, "Eich pennaeth, eich amddiffynnydd".

Rhythodd Ottokar a chyfarch y deyrnwialen, gan ddweud: "Deyrnwialen, ffyddlon ydwyt i mi, a'r awr hon fe'm harbedaist innau. Tithau yn awr fydd braint y teyrn yn dragywydd, yng ngŵydd holl wŷr Syldafia. Boed llid ar y sawl a'th gyll, dywedaf, ac os digwydd hynny fe gyll yntau'r goron."

Byth oddi ar hynny, ar Ŵyl Vandabudski yn flynyddol, mae pob olynydd i Ottokar IV wedi gorymdeithio dinas Klow yn seremonïol, gan ddyrchafu'r wialen gref yn uchel. Hebddi, byddai'r brenin yn ildio ei hawl i deyrnasu; ond â'r deyrnwialen yng ngolwg yr holl ddinasyddion, fe gyfyd byrdwn yr anthem:

Cydganwn o fawl
Cyfiawn y fantawl
A'r deyrnas yn hawl

I'r dde: Teyrnwialen Ottokar Fawr
Isod: Dalen femrwn o frut y 14eg ganrif, Breinlyfr Ottokar, sy'n cynnwys fersiwn o'r gerdd hir "Oianau'r Gwndrydd"

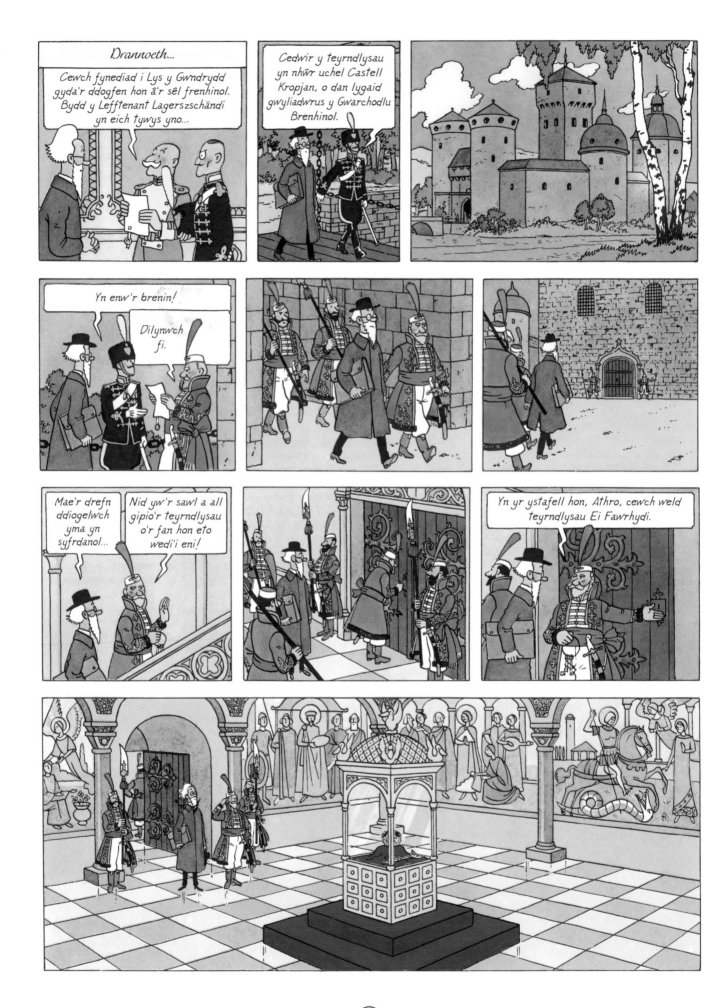

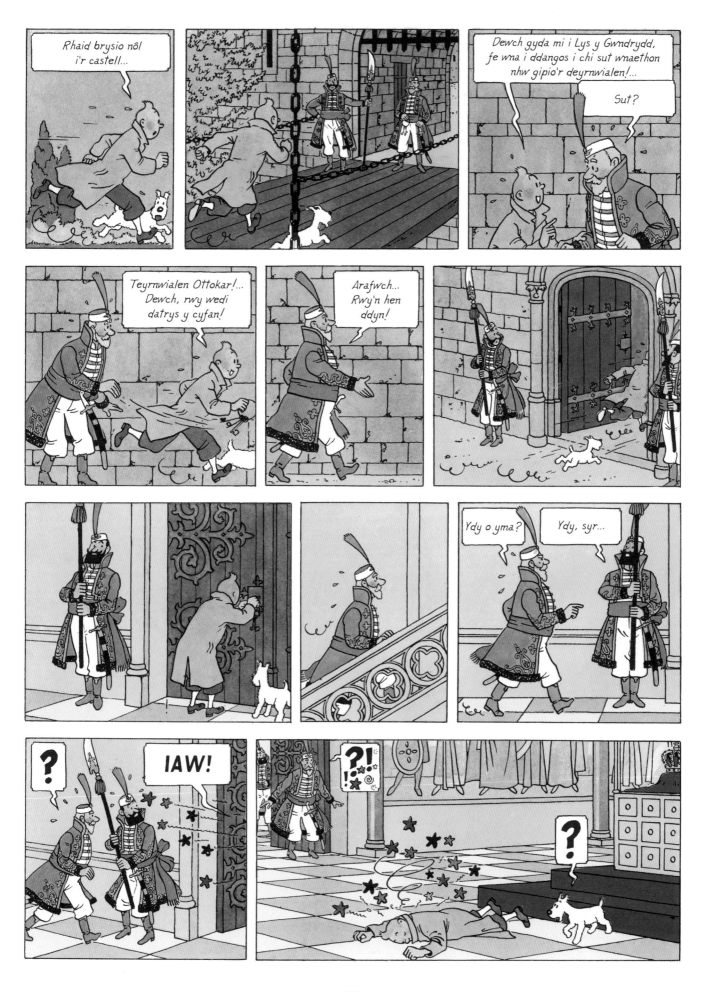

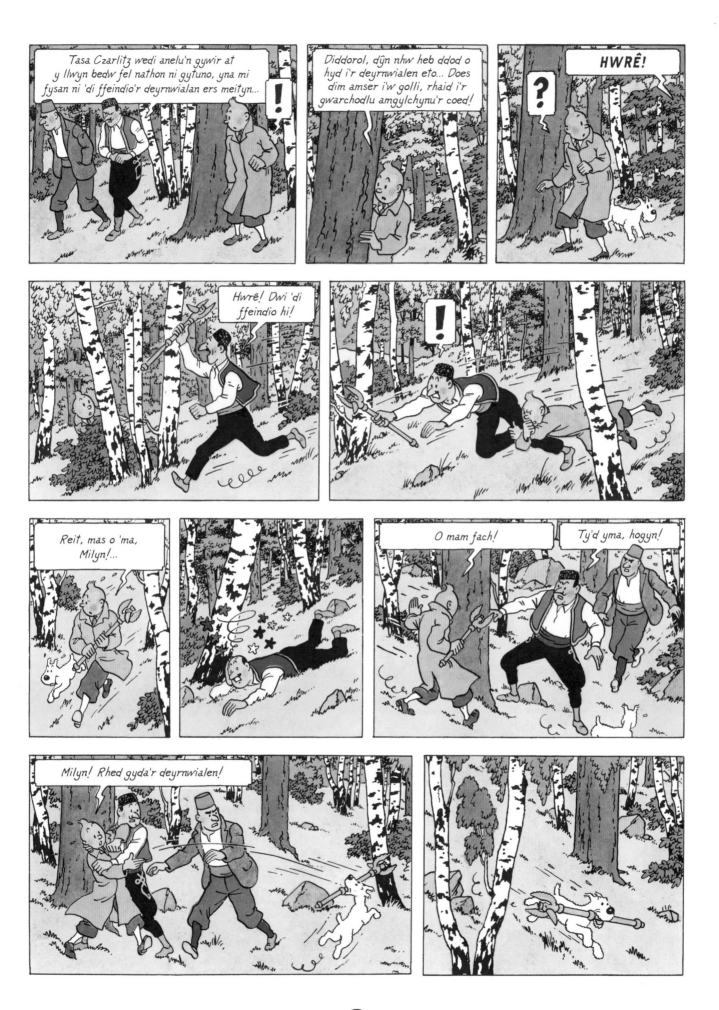

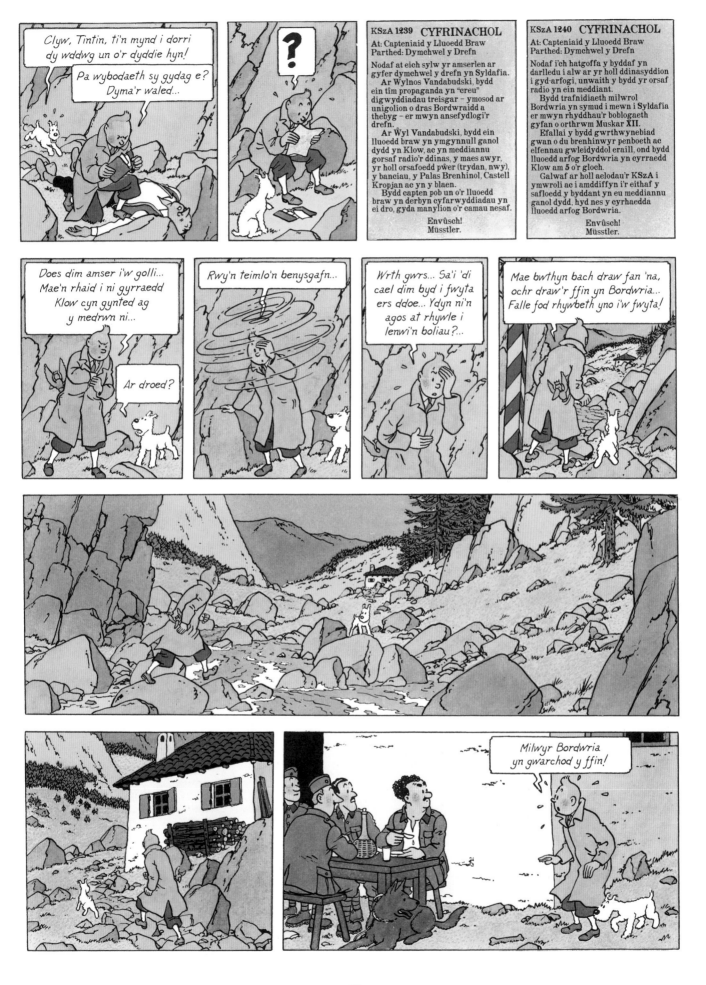